Luned Aaron

Argraffiad cyntaf: 2019

Dylunio: Eleri Owen

Cyhoeddwyd gyda chymorth Cyngor Llyfrau Cymru

Rhif llyfr rhyngwladol: 978-1-84527-716-1

www.carreg-gwalch.com

I fy Nain,
Mair Eluned Davies

Cylch o gelyn ar y drws,
Aeron, dail a rhuban tlws.

Hwyl i'w gael wrth
sychu ffrwythau,
Yna'u hongian ar y waliau.

Coeden binwydd, lawn goleuni;
Seren sy'n disgleirio arni.

Estyn bocs yr addurniadau
Cyn eu gosod ar ganghennau.

Addurn arian, hardd yw'r angel
Ger y tân yn sgleinio'n uchel.

Dewis yr uchelwydd gorau
Cyn ei glymu uwch ein pennau.

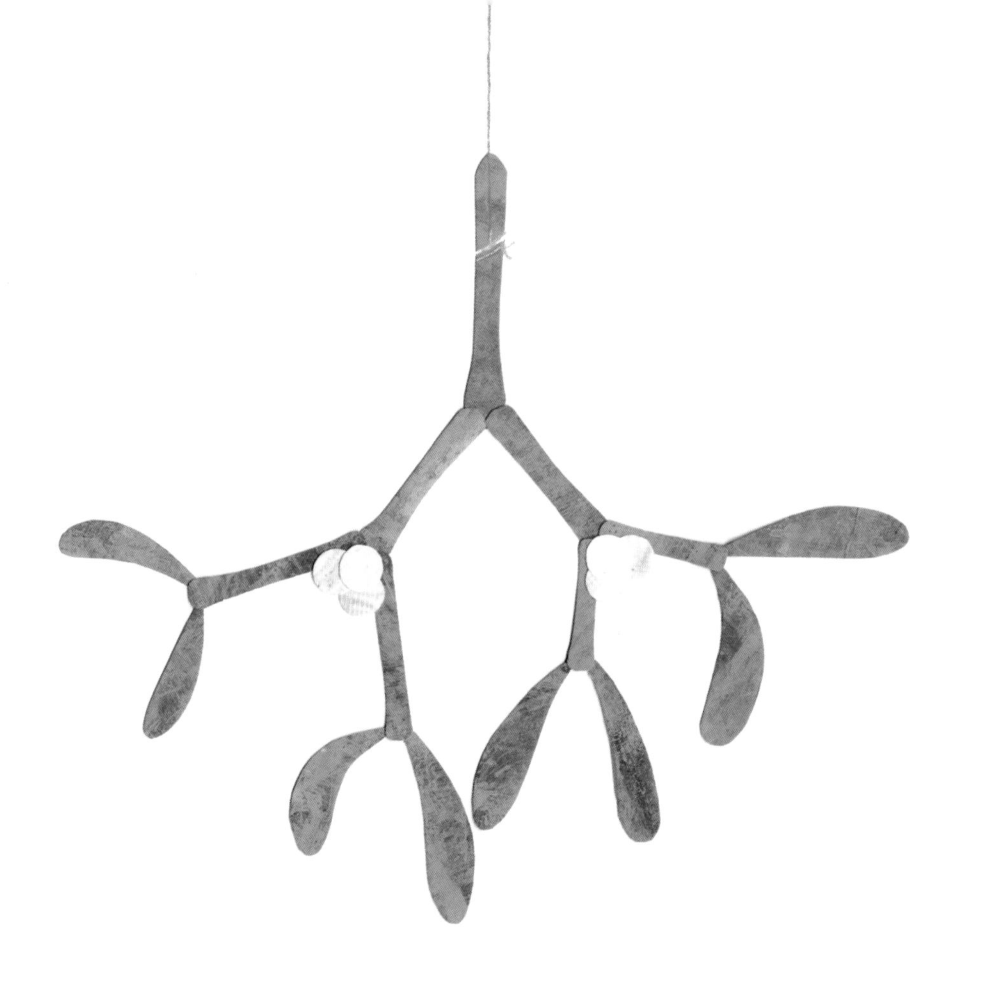

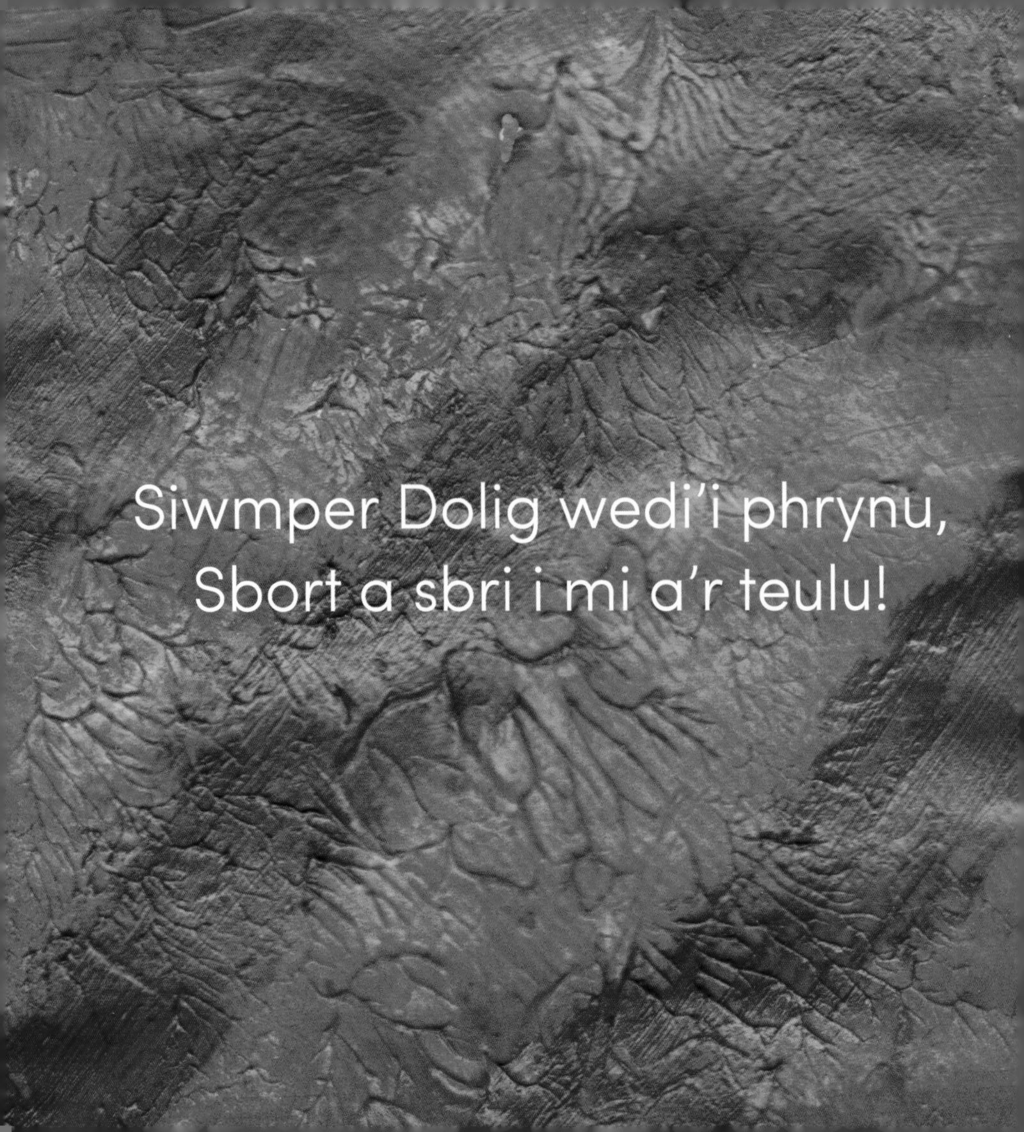

Siwmper Dolig wedi'i phrynu,
Sbort a sbri i mi a'r teulu!

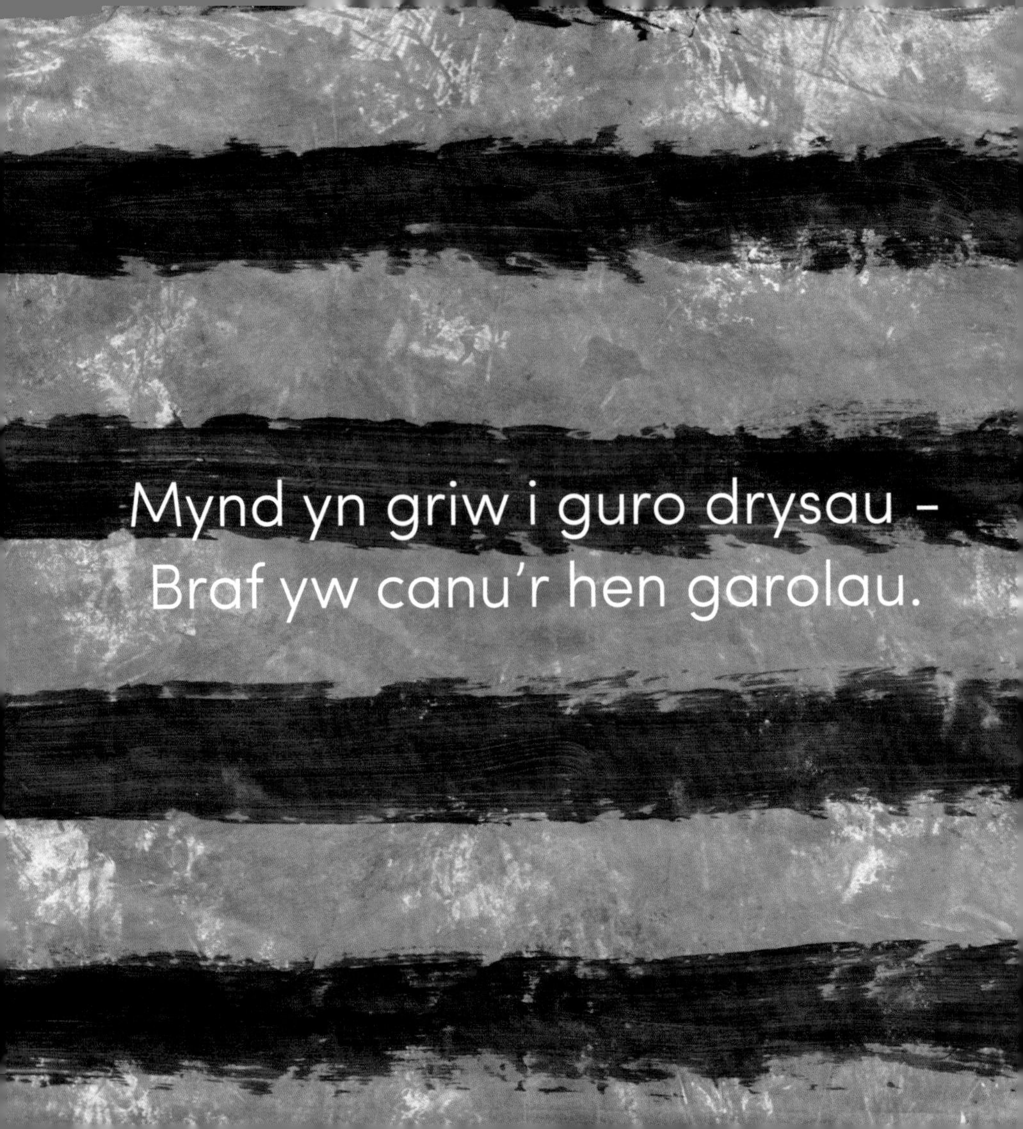

Mynd yn griw i guro drysau -
Braf yw canu'r hen garolau.

Troi y triog yn y sosban,
Taffi euraid yno'n ffrwtian.

Cyn y lapio, creu fy mhapur;
Tymor rhoi –
mae'n amser prysur.

Cyffro'r dyddiau,
cardiau'n glanio,
Mynd ar wib at flwch i bostio.

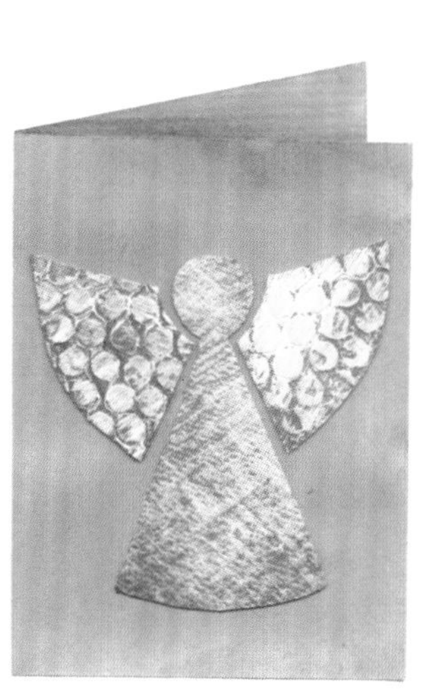

Gwneud mins peis
a'u rhoi'n anrhegion
I fy ffrindiau a'm cymdogion.

Cacen Dolig i'w haddurno,
Torri darn i'w fwyta heno.

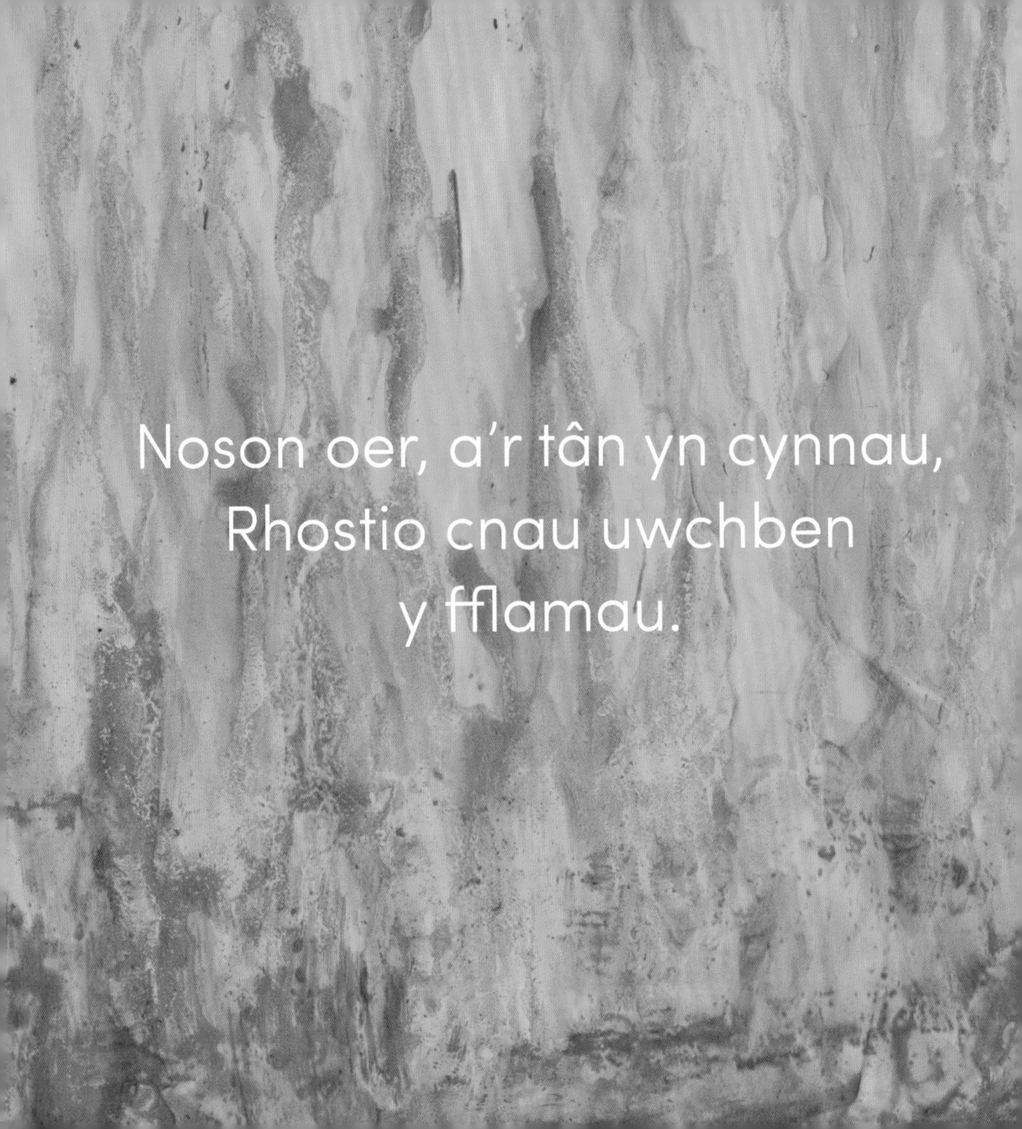

Noson oer, a'r tân yn cynnau,
Rhostio cnau uwchben
y fflamau.

Gosod hosan ger y gwely ...
Fore Dolig, beth fydd ynddi?

Pedair cannwyll heno'n llosgi,
Agosáu mae gŵyl y geni.

Llawen iawn yw cân y clychau,
Amser dathlu sydd ar ddechrau.

Mynd am dro drwy’r eira tawel,
Gwisgo’n gynnes rhag yr oerfel.

Robin goch a'i fola lliwgar,
Dyma dderyn bach cyfeillgar.

Pwdin Dolig, tamaid melys,
Cyrains, cnau ac o, mae'n flasus!

Cinio'n rhostio yn y gegin,
Edrych 'mlaen at wledda wedyn.

Cracer bach i bawb ei dynnu,
Hwyl a het a jôc i'w rhannu.

Dyma roddion cynta'r Dolig,
Aur a thys a myrr arbennig.

Baban yn ei breseb clyd
Ddaw â gobaith i'r holl fyd.

Nadolig yn y Cartref

aeron
berries

sychu
to dry

pinwydd
pine

canghennau
branches

hardd
beautiful

uchelwydd
mistletoe

Christmas at Home

sbort a sbri
fun and games

carolau
carols

euraid
golden

lapio
to wrap

cyffro
excitement

cymdogion
neighbours

addurno
to decorate

cynnau
to light

hosan
stocking

llosgi
burning

clychau
bells

oerfel
cold

cyfeillgar
friendly

blasus
tasty

gwledda
to feast

rhannu
to share

rhoddion
gifts

gobaith
hope

Beth am ddarganfod cyfres Byd Natur gan Luned Aaron?

"Mae gwaith Luned Aaron yn gain a chwaethus dros ben a bydd y gyfrol hon yn un i'w thrysori gan blant bach ac oedolion hefyd."

Delyth Roberts, Barn

AR GAEL YN EICH SIOP LYFRAU LEOL

Malp 10·12·1925